KITCHENER PUBLIC LIBRARY

3 9098 06086618 2

10/18

D1385282

De bonnes choses t'attendent

ÉCRIS TES RÊVES

SOIS TOI-MÊME À 200 %

PARTAGE TON RÊVE

PARTAGE LES BONS MOMENTS

SAVOURE CHAQUE INSTANT

FAIS COMME LE ROCHER AU MILIEU DE LA RIVIÈRE ET LAISSE LA VIE COULER AUTOUR DE TOI

PARTICIPE

COMM

Rêve en grand

SOIS TOI-MÊME À 200 %

Sois créatif

Ose être toi

LES ALÉAS DE LA ROUTE FONT PARTIE DU VOYAGE

Rêve

Crois-y

TROUVE TON ÉLÉMENT

VOYAGE DANS LA JOIE

SOIS UN PEU PLUS BRAVE QUE PRÉVU

SURMONTE LES DIFFICULTÉS

RESPIRE

Catalogage avant publication de Bibliothèque et Archives Canada

Reynolds, Peter H. (Peter Hamilton), 1961-
[Happy dreamer. Français]
Joyeux rêveur / Peter H. Reynolds, auteur et illustrateur ; texte français
d'Isabelle Montagnier.

Traduction de : Happy dreamer.
ISBN 978-1-4431-6009-4 (relié)

I. Titre. II. Titre: Happy dreamer. Français.

PZ23.R493Jo 2017   j813'.54   C2016-907500-1

Copyright © Peter H. Reynolds, 2017.
Copyright © Éditions Scholastic, 2017, pour le texte français.
Tous droits réservés.

L'éditeur n'exerce aucun contrôle sur les sites Web de tiers et de l'auteur et
ne saurait être tenu responsable de leur contenu.

Ce livre est une œuvre de fiction. Les noms, personnages, lieux et incidents
mentionnés sont le fruit de l'imagination de l'auteur ou utilisés à titre fictif.
Toute ressemblance avec des personnes, vivantes ou non, ou avec des
entreprises, des événements ou des lieux réels est purement fortuite.

Il est interdit de reproduire, d'enregistrer ou de diffuser, en tout ou en partie,
le présent ouvrage, par quelque procédé que ce soit, électronique, mécanique,
photographique, sonore, magnétique ou autre, sans avoir obtenu au préalable
l'autorisation écrite de l'éditeur. Pour toute information concernant les droits,
s'adresser à Scholastic Inc., Permissions Department, 557 Broadway, New York,
NY 10012, É.-U.

Édition publiée par les Éditions Scholastic, 604, rue King Ouest, Toronto
(Ontario) M5V 1E1.

5 4 3 2 1   Imprimé en Malaisie 108   17 18 19 20 21

Le texte a été composé avec les polices de caractères Skippy Sharp et Slappy.
Conception graphique de Patti Ann Harris.

JOYEUX
RÊVEUR

PETER H. REYNOLDS

Texte français de
ISABELLE MONTAGNIER

Éditions
SCHOLASTIC

JE SUIS UN JOYEUX RÊVEUR.

C'est ma spécialité.

DES RÊVES ÉVEILLÉS.

DE GRANDS RÊVES.

De petits rêves.

DES RÊVES CRÉATIFS.

Le roi des rêveurs!

Parfois,
le monde me dit...

Mais mes rêves n'en font qu'à leur tête.

PARFOIS, MON ESPRIT PREND SON ENVOL! J'ENTENDS UN **RYTHME** ET JE DOIS BOUGER...

PUIS J'EN ENTENDS UN AUTRE ET UN AUTRE!

UN SOLO
DE TROMPETTE JAZZ!

Parfois, je suis
un rêveur tranquille.

Je prends le temps
de m'écouter penser,
je me laisse aller et
je vois ce qui prend forme.
VOIS-TU CELA?

D'autres fois, je suis un rêveur qui se laisse emporter... très haut... AU-DELÀ DES NUAGES...

SI HAUT QUE JE PEUX TOUCHER LE CIEL!

LE MONDE!

JE PEUX ÊTRE UN RÊVEUR QUI CRIE À TUE-TÊTE!
(MÊME SI JE CRIE SEULEMENT DANS MA TÊTE!)

PARFOIS...

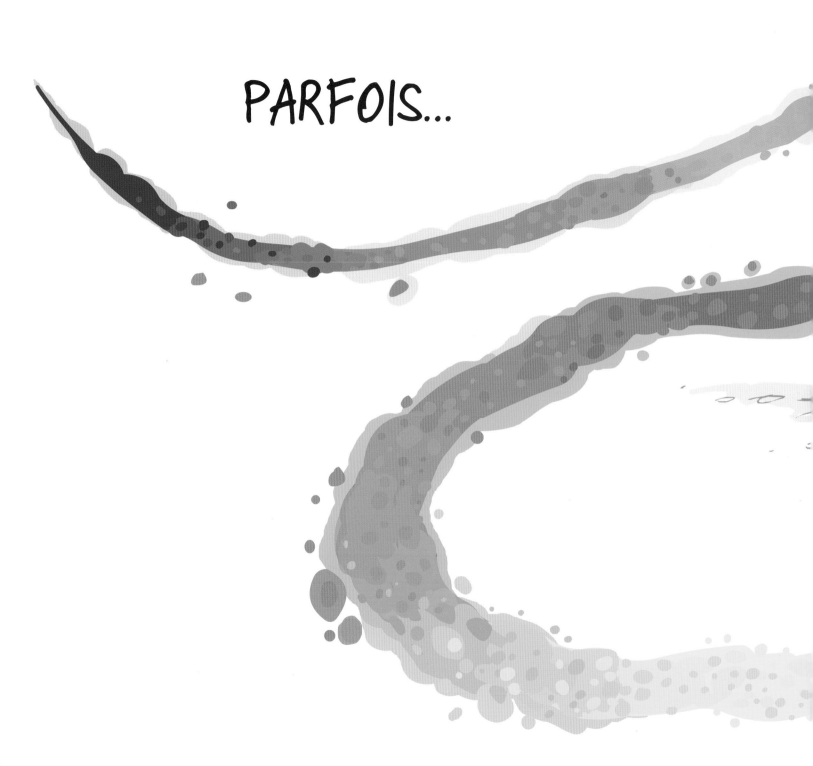

JE SUIS UN RÊVEUR EN COULEURS.

JE TRACE MON CHEMIN ET JE PEINS
DES SURPRISES À CHAQUE TOURNANT.

Je peux même rêver
quand les lumières
sont ÉTEINTES.
TOUS LES CIRCUITS
SONT ALLUMÉS!
DES FEUX
D'ARTIFICE
EXPLOSENT!

JE M'ILLUMINE!
MES OREILLES,
MES YEUX, MON CŒUR
ET MON ESPRIT
SONT GRANDS OUVERTS!

Parfois, j'ai tellement de rêves
dans la tête que c'est la pagaille.
UN CHAOS CRÉATIF.

L'ordre me prive de mes trésors.

Si tu m'y OBLIGES,
je rangerai, mais alors
je cacherai aussi
une partie de MOI-MÊME.

Ce sont les moments
où je me sens seul.

ENFERMÉ.

Et pourtant, je trouve toujours
un moyen de m'évader.
Je plonge dans des rêves merveilleux,
délicieux et remplis de joie.

Pour être moi-même,
je suis le meilleur.

UN RÊVEUR

SURPRENANT

ATTENTIONNÉ

AMUSANT

GENTIL

FUTÉ

Et quand
je RETOMBE
sur terre...

je sais
que
tout
va
bien!

PLAISIR GLACÉ

PLAISIR CHAMPÊTRE

PLAISIR ENGAGÉ

PLAISIR ENSOMMEILLÉ

PLAISIR MUSICAL

PLAISIR RYTHMÉ

PLAISIR PAISIBLE

PLAISIR SPORTIF

PLAISIR D'OFFRIR

PLAISIR DE DÉCOUVRIR

PLAISIR RIGOLO

PLAISIR TAPAGEUR

RÊVE AILÉ

RÊVE ROYAL

RÊVE MÉDITATIF

RÊVE REPOSANT

RÊVE ENSOLEILLÉ

RÊVE ÉTOILÉ

RÊVE AMOUREUX

RÊVE FABULEUX

RÊVE FOU

RÊVE PUISSANT

RÊVE CIVIQUE

VOTEZ POUR MOI

RÊVE SECRET

Les rêveurs savent rebondir...

ET VONT DE L'AVANT!

IL Y A TELLEMENT DE FAÇONS D'ÊTRE UN JOYEUX RÊVEUR!

(QUELLE SORTE DE RÊVEUR ES-TU?)

RÊVE CHARMANT

RÊVE COLLECTIF

RÊVE VISIONNAIRE

RÊVE CIBLÉ

RÊVE THÉÂTRAL

RÊVE BRILLANT

RÊVE NOCTURNE

RÊVE ÉVEILLÉ

RÊVE REMARQUABLE

RÊVE INTERSIDÉRAL

RÊVE FAROUCHE

RÊVE GRANDIOSE

PLAISIR ÉTOURDISSANT

PLAISIR ARTISTIQUE

PLAISIR VAGABOND

PLAISIR LABORIEUX

PLAISIR FESTIF

PLAISIR FARCEUR

PLAISIR FORESTIER

PLAISIR AVENTURIER

PLAISIR FAMILIAL

PLAISIR LITTÉRAIRE

PLAISIR AMICAL

PLAISIR MARIN

Mais quelle est
la meilleure façon?

RESTE **TOI-MÊME.**

C'est pour cela
que ce livre
t'est dédié.
OUI, À TOI!

TRACE TON PROPRE CHEMIN

VISIONNAIRE

Fais preuve de compassion

OPTIMISTE

CE LIVRE PORTE CHANCE

CONTINUE D'AVANCER

Chaque voyage commence par un premier pas

Regarde attentivement et tu trouveras les réponses

Prends le temps de RÊVER

L'IMAGINATION OFFRE DES POSSIBILITÉS INFINIES

LA PATIENCE VIENT À BOUT DES OBSTACLES

TU ES UNIQUE

ÉCOUTE TON CŒUR

SUIS LE RYTHME

LAISSE-TOI ALLER

Passe du temps avec d'autres rêveurs... des âmes sœurs

MONTRE AU MONDE QUI TU ES

EN AVANT, EN HAUT

AVANT-GARDISTE